VillA Alfabet

afgeschreven

D1351238

Monster en potlood

Monster en potlood

Daan van Driel

bibliotheken midden-fryslân
vestiging **akkrum**
Boarnswâl 15
8491 ER Akkrum
0566-651392

educatieve

uitgeverij

Maretak

VillA Alfabet is een leesserie voor de betere lezer van groep 3 tot en met groep 8.
VillA Alfabet Oranje is bestemd voor lezers vanaf groep 3.
Een VillA Alfabetboek biedt de goede lezer een uitdagende lees-ervaring en verdiept deze ervaring door het extra materiaal dat in het boek is opgenomen. Daarnaast is bij elk boek materiaal ont-wikkeld dat in een aparte uitgave is verschenen: 'VillA Verdieping'.

STICHTING NEDERLANDSE
KINDERJURY
2005

© 2004 Educatieve uitgeverij Maretak, Postbus 80, 9400 AB Assen

Illustraties: Peter van Harmelen
Tekst blz. 6 en blz. 100-101, 103: Ed Koekebacker en Karin van de Mortel
Vormgeving: Cascade visuele communicatie, Amsterdam
Illustratie blz. 100-101: Gerard de Groot
ISBN 90 437 0243 9
NUR 140/282
AVI 8

Inhoud

*(Als je ♟ tegenkomt, ga dan naar bladzij 103.
En als je het boek uit hebt, kom dan op bezoek in
VillA Alfabet, op bladzij 100-102.)*

Een teleurstelling die aankomt als een dreun.
Hoe kom je die te boven?
Wanneer wordt anders zijn gewoon?
Daniël vindt antwoorden, jij ook?

1 De boekbeurt

'Luister allemaal maar goed,' zei de juf.
Daniël zat vooraan met zijn tafeltje tegen dat
van de juf.
'Joris haalt zijn spullen van de gang.'
Door de geopende deur kwam Joris binnen met
een grote plastic tas. Joris was klein, had blauwe
ogen, een beetje wijduitstaande oren en
donkerblonde stekeltjes. Joris was zo'n jongetje
dat je in bijna elke klas in Nederland kon tegen-
komen.
'Waar doe je het over?' vroeg Daniël zacht, toen
Joris tegenover hem stond en de tas op de lege
tafel van de juf zette.
Joris antwoordde niet, maar begon de tas uit te
pakken; een grote rol papier, een pop van papier-
maché, een boek, een cd-spelertje en nog een

boek. Hij was zenuwachtig. Hij klom op het
bankje bij het bord en begon het papier uit te
rollen. Met zijn linkerhand hield hij het vast en
met zijn rechterhand probeerde hij de rol uit te
rollen, plat tegen het bord. Maar telkens verloor
hij zijn evenwicht en struikelde van het bankje,
het papier uit zijn handen glippend, weer fffft in
elkaar.
Daniël grinnikte.
'Laat mij maar even,' zei juf Julia. Ze pakte een
stuk tape en plakte het papier vast. 'Vanmorgen
is Joris aan de beurt. Het is de eerste keer dat we
naar een boekbespreking gaan luisteren. Joris
bijt het spits af. We gaan allemaal netjes zitten
en goed luisteren. Nou, Joris, we zijn benieuwd,
begin maar.'
Joris haalde diep adem en begon. 'Ik hou
vandaag een boekbeurt over het boek *Solo: David
Dommel*.'
Joris kon zo'n beetje het beste lezen van de klas
en iedereen begreep waarom juf hem had
uitgekozen.

Joris leunde met twee handen op de tafel en keek de klas rond. Juf had een kleine katheder op de tafel gezet.

'En een glaasje water,' zei juf Julia, 'dat hebben sprekers altijd.'

Het was een grapje, maar de juf zette wel een echt glaasje water op tafel.

Joris nam een slokje en begon. 'Mijn boek gaat over een jongetje dat heel mooi viool kan spelen. Op het papier op het bord heb ik een paar plaatjes uit het boek geplakt. Ik wijs een plaatje aan en dan vertel ik waar het over gaat.'

Hij pakte de pop van papier-maché. 'Dit is David Dommel. David is de hoofdpersoon van het boek. Ik heb deze pop zelf gemaakt.'

Dat kun je wel zien ook, dacht Daniël.

'Nou begin ik,' zei Joris, terwijl hij de pop weer op tafel zette. Hoe hij het voor elkaar kreeg, was niet precies duidelijk, maar hij zette de pop met een been recht in het glas water. Het glas viel om en het water golfde over de tafel, liep over de rand en spetterde op de grond. Op Joris' broek werd een grote natte plek zichtbaar.

Daniël kon het niet laten. Hij hield zijn neus vast en lachte, maar wel heel zachtjes.

Joris keek hem kwaad aan. 'Vind je dat leuk?' zei hij met een beetje hoge stem.

De juf maakte met een handdoek de tafel droog en wreef over de natte broek van Joris. 'Een ongelukje, geeft niet, kan iedereen gebeuren, kom op, Joris.'

Daniël voelde het kriebelen. Hij probeerde niet naar Joris te kijken. Hij had zijn hand onder zijn hoofd, maar hij gluurde toch tussen zijn vingers door.

Joris zuchtte.

'Daniël!' zei de juf ernstig. 'Trek je niets van hem aan, ga maar gewoon door, Joris.'

Ze liep achter hem langs en duwde het bord omhoog. Dat ging een beetje harder dan ze bedoelde. De linkerzijkant van het bord zwenkte door de ruk langzaam naar voren precies op het hoofd van Joris af.

'Joris' riep Daniël, 'achter je.'

Joris keek om en juist op dat moment kreeg hij het bord middenin zijn gezicht. 'Au, oei, au,' riep Joris. Hij greep naar z'n neus en hij danste van pijn in het rond.

Daniël schaterde het uit. Het ging vanzelf, hij kon er niets aan doen.

'D'r uit!' riep juf Julia, 'opgehoepeld. Ga jij maar even naar de gang.'

Daniël stond op de gang vlak naast de deur. Hij gluurde door de ruit boven de kapstok. Juf Julia zat in de vensterbank en keek naar Joris. Joris las een stukje voor, tikte met de aanwijsstok op de plaatjes op het papier voor het bord en keek naar de juf.

Juf Julia knikte.

Hij las opnieuw uit het boek voor, pakte de pop, wees omhoog en keek weer naar de juf.

De uitslover, dacht Daniël, en híj stond hier een beetje in z'n eentje in de koude gang. En waarom? Hij kon er toch niks aandoen dat ie moest lachen? Een beetje lachen mag toch wel.

Nee Daniël, lachen doen we hier niet. Dat mag
niet.
Je mocht ook niets. Je moest luisteren naar de
juf. Je moest op je stoel blijven zitten en als de
juf zin had, dan moest je gaan rekenen of een
liedje zingen.
En dan ook: wé gaan nu rekenen, wé gaan
schrijven, wé gaan een lesje maken, we gaan dit,
we gaan dat... Wé gaan! Het mocht wat. Zelf
deed juf niets. Als ze verteld had wat er moest
gebeuren en iedereen aan het werk was, ging ze
zelf zitten kijken. En als je iets vragen wilde, zei
ze: "Ik kom straks wel bij je. Je weet wat we
hebben afgesproken: we werken vandaag
zelfstandig. Eerst zelf nadenken, zelf proberen
eruit te komen. Zelfstandig werken, jongens en
meisjes!"
Daniël had vaak meer zin in zelfstandig spelen of,
als het niet anders kon, zelfstandig niets doen.
Het hoofd van Thamar stak om het hoekje van de
deur. 'Je mag binnenkomen,' zei ze.
Daniël stapte de klas binnen en schoof op zijn

plaats. Niemand lette op hem, ook juf niet.

Joris was nog lang niet klaar. Hij vertelde, zong wat, las een stukje voor uit het boek. Het ging over een jongetje met een viool.

'Ik heb dat boek gekozen,' zo eindigde Joris zijn boekbeurt, 'omdat ik zelf sinds een paar maanden ook vioolspeel.' Hij keek weer naar juf.

'Dat wist ik niet,' zei juf, 'en kun je het al een beetje?'

Joris kleurde en knikte.

'Dan moet je dat instrument maar eens mee naar school nemen, dat lijkt me leuk.'

Juf Julia keek de klas rond: 'Wie heeft een vraag voor Joris?'

Het bleef stil.

'Ik heb nog iets, juf,' zei Joris. 'Samen met mijn moeder heb ik een vragenblad gemaakt. De kinderen mogen dat invullen en dan kijk ik dat na of ze het goed hebben.'

'Enig,' zei juf, 'dat vind ik nou leuk. Dan kunnen we meteen zien wie er goed heeft geluisterd.'

Joris begon de blaadjes uit te delen.

Daniël was van plan zijn been eventjes uit te steken toen Joris langs kwam, maar hij bedacht zich op tijd.

'Als je klaar bent mag je een tekening maken over wat ik verteld heb,' riep Joris door de klas. 'Op de achterkant heb ik een hok gemaakt, daar mag je tekenen.'

Toen hij de blaadjes had uitgedeeld ging hij achter het bureau van juf zitten en keek de klas rond. Hij leek juf zelf wel.

Daniël las de vragen door. Het waren allemaal korte vragen. Soms moest je iets invullen en dan weer iets aanstrepen of doorstrepen.

Hoe heet de hoofdpersoon uit het boek? was de eerste vraag. *Heeft hij vioolles van een meester of van een juf?* Dat was de volgende vraag. En de vijfde vraag was: *Vindt hij pindakaas lekker?* Wist Daniël veel. Wat een stomme vragen.

Hij had nauwelijks iets van de spreekbeurt gehoord. Joris zat glunderend de klas in te kijken. Achterlijk joch! Daniël kwam half overeind en boog zich over het bureau van juf. Als hij zijn

hoofd een beetje schuin hield, kon hij net lezen
wat er op het blad van Joris stond. *David Dommel*
las hij. Zo heette dat jongetje. *David Dommel*
schreef hij op bij vraag één.
Hij wilde heel voorzichtig nog een keer kijken.
Met een schuin oog hield hij de juf in de gaten.
Ze liep door de klas. Ze zag niet wat Daniël deed.
Joris wel, maar in plaats van dat hij riep: "Juf,
Daniël kijkt af" schoof hij het blaadje naar Daniël
toe en wees onopvallend met zijn vinger de
antwoorden aan.
Het was rumoerig in de klas toen Joris vlak voor
de pauze de blaadjes ophaalde.

2 Zeer Gewoon Lerende Kinderen

Na de pauze had juf een brief in haar hand.
'Meester Grijpstra gaf me dit.' De juf maakte de
envelop open en haalde de brief eruit.
'Uitnodiging,' las ze een beetje plechtig en nog
eens: 'Uit-no-di-ging.' Ze liet de brief zien. Het
woord uitnodiging stond groot en gekleurd
bovenaan de brief. Linksboven stond 'De Brug'.
'Aan de kinderen van de klas van juf Julia,' ging
ze verder. 'Beste kinderen, elk jaar vragen wij
kinderen van een school in de buurt om bij ons
op bezoek te komen en kennis met ons te maken.
Dit jaar hebben we jullie school uitgekozen. We
zouden het erg fijn vinden als jullie met jullie
juf...'
Juf Julia keek de kinderen aan. 'Zo, zo, nou,

nou... een uitnodiging. Is dat niet leuk?'
De kinderen knikten.
Daniël ging er een beetje rechterop van zitten.
Ja, natuurlijk was dat leuk. Alles wat een beetje
anders was op school, was leuk, tenminste dat
vond Daniël.
'Jullie zullen wel denken: Waarom krijgen wij een
uitnodiging om op bezoek te gaan op die school?
Dat zal ik je vertellen. De school waar wij naar
toe gaan is geen gewone school. Het is een
school voor...'
Kimberley stak haar vinger op: 'In onze straat
woont een jongetje en die zit ook op De Brug.
Patrick heet ie en hij is een mongool.'
'0, dat mag je niet zeggen,' zei Jelle
verontwaardigd, 'dat is toch schelden? Je zegt
toch ook niet: Kimberley is een mongool of Pieter
is een mafkees of een idioot.'
'Wat een onzin,' riep Justin, 'dat is anders. Je mag
best zeggen: Patrick is een mongool, tenminste
als hij dat ís. Mongolen zijn ook mensen. Ze zien
er alleen een beetje apart uit.'

'Apart zou ik niet zeggen,' zei juf Julia, 'anders,
ze zien er ánders uit.'
'Net als Wairimu en Vikas?' vroeg Tim. 'Die zien er
ook anders uit.'
'Ik ben helemaal niet anders,' zei Wairimu, 'alleen
een beetje donkerder dan jij. Trouwens, jíj bent
anders, jij bent net een melkmannetje. '
'En jij hebt met chocolademelk geknoeid.'
'Chocolademelk vind ik lekkerder dan witte melk
van een melkmannetje,' lachte Wairimu.

'Iedereen is anders,' zei Joris, 'dat kun je toch zo
wel zien. Je hebt jongens en meisjes. Het ene
kind is pas acht, het andere al tien...'
'Misschien kun je voor de klas gaan staan. Ga je
gewoon door met je spreekbeurt,' zei Tim.
Joris ging onverstoorbaar door. 'Machiel
bijvoorbeeld is lang en Albert Jan is klein. Loeki
heeft lichtblond haar en Minkoo zwart. Ik ben
goed in de kaart van Europa en Daniël
bijvoorbeeld snapt daar niks van.'
Ik heb normale oren en met die van Joris kun je
zeilen, wilde Daniël zeggen, maar hij zei niks.
'Zo is dat,' zei juf, 'we zijn allemaal anders. Maar
Patrick is wel een mongooltje, zo heet dat.
Mongooltjes zijn verstandelijk gehandicapt en die
zitten daar op school. Aan een mongooltje kun je
zien dat die verstandelijk gehandicapt is.'
'Ik speel wel eens met Patrick op het pleintje bij
ons voor. Je kunt heel leuk met hem spelen,' zei
Kimberley.
'Zo is dat. Spelen kunnen die kinderen wel, ze
hebben alleen moeite met leren. Trouwens, niet

alle kinderen op die school zijn mongooltjes. Je
hebt daar ook kinderen waar je niets aan ziet.
Maar een ding is bij die kinderen daar hetzelfde,
leren doen ze niet gemakkelijk. Daarom zitten ze
op die speciale school. We noemen dat een
school voor zeer moeilijk lerende kinderen, een
ZMLK-school.'
Ze schreef dat op het bord: Z M L K.
'Je hebt ook een speciale school voor M L K, voor
moeilijk lerende kinderen, maar dat heet
tegenwoordig anders. De kinderen die daarop
zitten, leren wel moeilijk, maar niet zo moeilijk
als de kinderen die op de school zitten waar wij
naartoe gaan.'
Het leek wel of de juf een spreekbeurt aan het
houden was. Haar stem was een beetje lijzig en
omdat ze maar door en door praatte, hoorde
Daniël op den duur nauwelijks meer wat ze zei.
Hij keek naar de brief die juf Julia nog steeds in
haar handen had. Hij kon duidelijk de letters
'u i t n o d i g i n g' zien.
Je had dus een school voor MLK, voor Moeilijk

Lerende Kinderen en een school voor ZMLK, voor Zeer Moeilijk Lerende Kinderen. Misschien was er ook wel een school voor VMLK, voor Verschrikkelijk Moeilijk Lerende Kinderen en dan was een basisschool eigenlijk een school voor GLK, voor Gewoon Lerende Kinderen. Je had misschien ook wel een school voor ZGLK, voor Zeer Gewoon Lerende Kinderen of een school voor NLK, voor Niet Lerende Kinderen. Op zo'n school zou Daniël wel willen zitten.

Juf Julia legde de brief op haar bureau en klapte het bord open. *Donderdag naar 'De Brug'*, schreef ze op. ♟

3 De Brug

Voor *De Brug* stond een jongen. Hij was wel twee
koppen groter dan Daniël en hij hield een papier
omhoog. Op het papier was WELKOM geschreven.
'Ik ben Klaas en jullie zijn welkom en meester
Fernhout is in de gymzaal. Ik breng jullie daar
naartoe. Loop maar achter mij aan.'
Ze liepen zwijgend door een lange gang achter
Klaas aan.
'Dit is de gymzaal,' zei Klaas. Ze kwamen bij de
kleedkamer. 'Hang je jas hier maar op.'
In de deuropening van de gymzaal stond een
lange man. Hij liep naar de juf en gaf haar een
hand.
'Fijn, jongens en meisjes, dat jullie er zijn. Als je
je jas niet op de kapstok kunt hangen, dan mag
je hem wel op de bank leggen.'

'Als je je jas niet kunt ophangen, leg je je jas daar maar,' zei Klaas. Hij pakte jassen aan en legde die op de bank.

'Kom maar binnen.' De meneer deed een stapje achteruit, zodat de kinderen er langs konden. 'De jongens en meisjes van onze school zitten al op jullie te wachten.'

'Ga maar naar binnen,' zei Klaas, 'kom maar mee.'

Daniël was een van de laatsten die de gymzaal binnenkwamen. De kinderen van *De Brug* zaten op stoelen in een halve cirkel. Daartegenover

stonden ook stoelen, ook in een halve cirkel.

'Ga maar zitten,' zei de meneer.

'Ga maar zitten,' zei Klaas. 'Hier. En hier.' Klaas wees naar de stoel waarop Daniël moest gaan zitten. De kinderen van *De Bron* waren wonderlijk stil. Zelfs Tim die anders altijd veel praatjes had, zat zwijgend te kijken naar de kinderen aan de overkant.

'Dankjewel, Klaas, je hebt het goed gedaan,' zei de meneer. 'Kom je er zelf ook bij zitten?'

Klaas nam plaats op de stoel naast de meneer. Aan de andere kant was nog een stoel over. 'En hier mag jij zitten, juf.'

Daniël kon niet met zijn benen bij de grond. Hij sloeg zijn voeten om de stoelpoten en probeerde zo stil mogelijk te zitten. De kinderen van *De Brug* keken naar hem. Kinderen? Sommigen waren zo groot als een vader of moeder! Niet allemaal, maar toch wel een stuk of tien. Hij telde tweeëntwintig kinderen. Een paar lachten en zwaaiden. Anderen zaten als grote mensen te wachten: armen en benen over elkaar.

'Fijn dat jullie gekomen zijn,' zei de meneer. 'Ik ben meester Fernhout en ik ben blij dat jullie en je juf vanmiddag bij ons op bezoek zijn. Ik zal eerst iets over onszelf vertellen. Wij zijn een beetje een aparte school, de kinderen en jonge mensen die bij ons op school zitten...'
'Ik heb het er al met de kinderen over gehad,' onderbrak de juf. Ze werd een beetje rood. 'Over moeilijk leren en zo...'
'Hier zitten dus kinderen met een verstandelijke beperking. Zo noemen we dat tegenwoordig,' ging de meester door. 'De jongens en meisjes hier leren niet zo makkelijk als jullie, maar dat wisten jullie al. Maar waarom zitten we nu hier bij elkaar, jullie van *De Bron* en wij van *De Brug*? Dat zal ik vertellen. Eén keer per jaar nodigen we kinderen uit van een basisschool uit de buurt. Dan kunnen we kennis met hen maken en zij met ons. Elk jaar doen we met die kinderen iets leuks en elk jaar iets anders. Vorig jaar waren kinderen van *De Dillenburgschool* op bezoek en daar deden we spelletjes mee, het jaar daarvoor hebben we

met kinderen van *Het Kompas* gegeten en met een groep kinderen van *De Mirt* hebben we een reisje gemaakt. Deze keer gaan we samen met jullie iets doen.' De meester stond op. 'Maar wacht eens even. Als we samen iets gaan doen dan moeten we niet zo blijven zitten; de kinderen van *De Bron* hier aan deze kant en de kinderen van *De Brug* aan die kant. Dan moeten we natuurlijk...'
Daniël wilde zijn vinger opsteken, maar durfde niet goed.
'Door elkaar gaan zitten. Daar,' werd er geroepen, 'bij elkaar.'
'Juist ja, dan moeten we door elkaar gaan zitten. Ga je gang maar.'
Daniël liet zich van zijn stoel glijden, hij aarzelde. Waar moest hij gaan zitten? Joris, die naast hem zat, liep naar de overkant.
'Kom maar,' zei juf. Ze gaf Daniël een duwtje in de rug. Hij liep naar een lege stoel. Joris zat al. Kimberley liep weer terug naar waar ze vandaan kwam.
'Ga hier maar zitten,' zei juf. En aan een grote,

dikke jongen vroeg ze: 'Mag het? Mag Daniël
naast jou komen zitten?'
De jongen lachte breeduit en knikte.
Na een paar minuten had iedereen een plaatsje
gevonden. Ze zaten om en om. Een kind van *De
Brug* en dan een kind van *De Bron* en dan weer
een van *De Brug*.
'Zo is het goed,' zei de meester, 'nu zal ik jullie
vertellen wat wij van plan zijn: wij gaan samen
een toneelstuk doen. Tenminste, dat gaan we
proberen. Vandaag zal ik jullie vertellen waar het
toneelstuk over gaat. Dan gaan jullie naar huis
en een volgende keer komen we bij elkaar en dan
gaan we de rollen verdelen en als we dat gedaan
hebben, komen we nog een paar keer bij elkaar
om te oefenen. Hoe lijkt jullie dat?'
'Mooi,' riep de jongen naast Daniël. 'Mooi, vind 't
mooi.'
'Zo mag ik het horen, Mattijn!'
De grote, dikke jongen lachte. Hij klapte in zijn
handen.
'En jij, de jongen naast Mattijn.'

Daniël verschoot van kleur. Die meester bedoelde
hem.
'Hoe heet je?'
'Daniël, meneer.'
'Hoe vind je dat, een toneelstuk?'
Daniël wist niet precies wat hij moest zeggen.
Het leek hem niks.
'Leuk,' fluisterde Daniël.

'Luister goed, dan ga ik het verhaal vertellen. Het gaat over Floris en over een rood jongetje dat verandert in een kleurenmonster.'
De kinderen luisterden. De meester las soms hard en dan weer zo zacht dat je hem bijna niet kon verstaan. Het was een spannend verhaal en toen de meester klaar was, bleef het even heel stil.
'Nou, wat vinden jullie ervan?' zei de meester.
'Mooi,' riep Mattijn.
'Dat dacht ik ook. Man, wat een verhaal. Daar gaan we iets mee doen, daar gaan we mee aan het werk, daar gaan we iets moois van maken! Of niet soms!'
Er werd geklapt en met de voeten op de grond geroffeld en Mattijn sloeg zijn arm om Daniël en drukte hem tegen zich aan.
Daniël wist niet waar hij kijken moest. Hij bleef stil en stijfjes zitten.

'Dat was een leuk bezoek,' zei de juf toen ze weer in hun eigen klas zaten en op hun eigen plaats. Ze hadden nog een glaasje limonade op *De Brug*

gedronken en waren daarna weer naar hun eigen
school gewandeld.

'Ik vond het erg leuk,' zei Joris.

'Wie mag Floris spelen en wie Truus en wie de
rode jongen?' vroeg Hannah.

'Dat weten we nog niet. Maar... wie zou
bijvoorbeeld Floris willen zijn?'

Wel tien kinderen staken hun vinger op.

'Jorian kan dat goed of Gert of Joris,' riep
Kimberley.

'We hebben maar één Floris nodig. Maar we
hebben ook anderen nodig. Voor ieder kind is er
een rol, iedereen mag meedoen.'

En als je nou níet mee wilt doen, dacht Daniël,
als je er nou geen zin in hebt, als je het nou stóm
vindt, zo'n toneelstuk?

Het leek of de juf raadde wat hij dacht, want ze
zei: 'We gaan dus allemaal meedoen. Ook de
kinderen die denken: Ik kan dat niet of daar heb
ik niet zoveel zin in. We doen allemaal mee... of
allemaal niet. Zeg het maar.'

'Tuurlijk doen we mee.'

'Samen uit, samen thuis!' zei Joris.

'Iedereen vindt het juist leuk, juf,' riep Henriëtte.

'Wie vindt dat nou niet?'

'Ik heb wel een rode jas.'

'Mijn opa...'

De kinderen begonnen door elkaar te praten.

'Stop, stil,' riep de juf. Ze tikte met haar trouwring tegen het bord. 'Ik merk het al.'

Meedoen met een toneelstuk: Daniël had er nooit wat aan gevonden. En zeker niet met die kinderen dáár. Hij had met kerst iets moeten opzeggen in de kerk. Dat ging voor geen meter. Het waren maar een paar regels: *Ik heb daarnet het licht gezien, dat is voor jou en ook misschien wel voor de hele wereld...* Hij kende het versje helemaal uit zijn hoofd. Tenminste, thuis. Hij had geoefend voor de spiegel, hij had het opgezegd bij mama in de keuken, midden in de nacht toen ie even wakker werd, op de fiets, in de bijbelklas, onder de douche. Nog vlak voor hij de deur uitging naar het kerstfeest, had hij het opgezegd in de gang terwijl papa en mama, zijn broer Frits en kleine

Josta hun jassen aantrokken. Maar in de kerk met al die mensen voor zich lukte het niet. Hij had een soort jurk aan en hij wist niet waar hij zijn handen moest laten. De doek om zijn hoofd zat voor zijn ogen en toen hij aan de beurt was, moest hij op zijn tenen staan om bij de microfoon te komen. Hij begon met: *"Heel misschien..."* en toen wist hij het niet meer. Juf Anneke zat op een stoeltje vlak vooraan. Ze fluisterde: *"Ik heb daarnet..."* Daniël was zo zenuwachtig dat hij niet goed hoorde wat ze zei en hij riep: "Wat?" Het knalde door de kerk. Iedereen lachte.

4 Monster Daniël

'Hoe was het op school?' vroeg mama. Ze zaten
aan tafel en aten rodekool.
'Gewoon,' zei Frits. Frits zat in de derde klas van
het gymnasium. Josta zat nog niet op school.
Twee keer in de week ging ze naar de
peuterspeelzaal.
'En jij, Daniël?' vroeg papa.
'Gewoon,' zei Daniël, 'o nee...' Hij liet zijn vork
even in de rodekool liggen. 'We zijn vanmiddag
met de klas naar *De Brug* geweest.'
'*De Brug*,' zei papa, 'daar zitten van die geestelijk
gehandicapte kinderen op, is het niet?'
'Geestelijk gehandicapt?'
Daniël begreep niet goed waar papa het over had.
Geestelijk, dat had toch iets met geloven te
maken en met God? Ze hadden het op school

overal over gehad, maar niet over geloven. *De Brug* was niet een school voor zeer-moeilijk-gelovende-kinderen, maar een school voor zeer-moeilijk-lerende-kinderen. Het had met leren te maken.

'Het heeft met leren te maken,' zei Daniël, 'die kinderen leren moeilijk. Moeilijker dan wij.'

'Die kinderen zijn toch een beetje... hoe zeg je dat ook alweer, een beetje achterlijk?' zei papa.

'Wat moest je daar?' vroeg Frits.

'We gaan een toneelstuk doen.'

'Een toneelstuk? En moet jij daar op díe school met díe kinderen een toneelstuk spelen? La-me niet lachen,' lachte Frits.

'Frits!' zei mama.

'Misschien is het trouwens helemaal niet zo gek, je past er eigenlijk precies tussen, je bent zelf ook niet een van de slimsten.'

'Hou op, Frits,' zei mama, 'hou op met plagen.'

'Trouwens, toneelspelen, dat hoef jij helemaal niet te leren. Ze denken natuurlijk: Die Daniël, die moeten we hebben, toneelspelen, hij doet

niet anders. Maar helaas, er is maar één rolletje voor jou geschikt; geen leuk jongetje, geen prins of ontdekkingsreiziger. Als jíj iets moet spelen, kan dat alleen maar een monster zijn.'
Frits lachte gemeen met een open mond en sliertjes rodekool tussen zijn tanden.
'Zo kan het wel weer,' zei mama.
Daniël had iets lelijks terug willen zeggen, maar hij wist dat hij tegen Frits toch niet op kon.
Hij at snel drie happen rodekool met appelmoes.
Hoe kwam Frits erbij om het over een monster te hebben? Daniël had toch niets verteld over de rode jongen die niet mee mocht doen met de andere kinderen en die een grijs monster werd, een kleurenmonster? Hij had alleen maar gezegd dat ze een toneelstuk gingen doen.

Daniël stond voor de spiegel bij de wastafel in zijn slaapkamer. Hij poetste zijn tanden en keek naar zichzelf. Hij was onder de douche geweest en zijn natte haren stonden rechtovereind.
Hij likte met zijn tong een restje tandpasta van

zijn bovenlip. Frits had wel een beetje gelijk: hij zag er níet uit met die rare, bolle wangen. Zijn oren zaten plat tegen zijn hoofd, zijn voortanden stonden scheef en zijn neus was zo rond als een aardappeltje.

Hij krulde zijn bovenlip, ontblootte zijn tanden en trok zijn wenkbrauwen op. Hij hoefde helemaal niet zijn best te doen om er raar uit te zien. Frits had gelijk: als hij straks bij het toneelstuk toch mee moest doen, kon hij maar het beste monster zijn. Hij bekeek zichzelf nog eens goed in de spiegel, trok zijn hoofd in en zijn schouders omhoog. Langzaam draaide hij zijn gezicht van links naar rechts tot hij nog net vanuit zijn ooghoeken zichzelf kon zien in de spiegel. Monster! Hij zou tegen juf Julia en de meester van *De Brug* zeggen: "Kijk eens naar mij, is er iemand die beter monster kan spelen dan ik?"

Hij spoelde zijn mond, trok zijn trui over zijn hoofd, liep bij Frits de slaapkamer binnen en riep: Fritsie, Fritsie, asgrauw asgrauw ungrrr... sss.'

Frits pakte zijn schooltas in. 'Doe niet zo idioot
op de vroege morgen.'
'Boe,' riep hij naar Josta die op de po zat in de
badkamer. 'Boe!' Hij trok daarbij een heel eng
gezicht. Josta begon te huilen, zo schrok ze ervan.
Prima, dacht Daniël. Hij rende naar beneden.
Papa stond bij het aanrecht en perste
sinaasappels uit.

'Goedemorgen,' schreeuwde Daniël.
Papa liet de elektrische sinaasappelpers uit zijn
handen glippen zodat het snoer eromheen
draaide. 'Je laat me schrikken. Wat is er met jou?'
zei papa.
'Och, niks,' zei Daniël.
'Doe dan een beetje rustig. Trouwens, je moet je
haar nog kammen.'
Daniël haalde zijn hand door zijn haar.

Hij ging vroeg naar school. Joris, Jasper en
Dorien zaten op het klimrek.
'We gaan dat toneelstuk spelen in de
stadsgehoorzaal,' zei Dorien.
Daniël was daar wel eens geweest bij een
voorstelling van *Kikker*. Het was een grote deftige
zaal met zachte roodfluwelen stoelen en een
groot toneel met hoge gordijnen die wuivend
open- en dichtgingen. In de zaal was het tijdens
de voorstelling donker en op het toneel
fantastisch licht in allerlei kleuren.
'Hoe weet jij dat?' vroeg Joris.

'Juf Julia heeft dat gisteravond verteld. Mijn
moeder zit op fitness,' zei Dorien, 'en de juf ook.'

Toen Daniël na schooltijd naar huis ging, kwam
hij langs de stadsgehoorzaal. De deur stond
open. Er was niemand te zien. Voor hij het wist,
was hij binnen en gluurde om het hoekje van de
deur van de grote zaal. Daniël zag zichzelf daar al
staan op het podium, een groot, grijs monster.
Net als bij *Kikker*. Daniël had die
Kikkervoorstelling een paar weken geleden
gezien. Hij zag het nog zo voor zich: Kikker stond
te beven en te rillen aan de rand van het toneel.
En bang dat ie was! De kinderen in de zaal waren
ook bang. Daniël natuurlijk niet of maar een klein
beetje. Iemand die zelf monster is, kan natuurlijk
niet bang uitgevallen zijn.
'Ik ben het kleurenmonster en ga alle kleuren,
alle potloden en alle vlaggetjes weghalen. Pas
maar op, Floris,' mompelde Daniël brommend, 'pas
maar op, alle vervelende kinderen. Hier komt het
kleurenmonster!' In gedachten sloop hij over het

podium met een grote zak over zijn schouder. Hij stopte de vlaggetjes in die zak en sleepte de potloden met een dik touw achter zich aan naar de zwarte bergen.

Opeens voelde hij dat er iemand achter hem stond. Hij draaide zich om: een mevrouw met een stofzuiger.

'Wat moet dat hier?'

'Ik ik...,' stotterde Daniël.

'Zoek je soms iemand?'

'Nee, ja, nee...' zei Daniël, 'ik... eh... we gaan een toneelstuk doen in de stadsgehoorzaal en ik ben het monster en nu kijk ik gewoon even rond.'

'Monster? Jij een monster?'

'Nee, nu niet, maar dat ga ik spelen, zo.' Daniël trok een schrikwekkend gezicht en deed een paar grote passen. 'Gggg...' zei hij, 'ggg...'

'Ja, dat lijkt er wel op,' lachte de mevrouw, 'volgens mij ben jij een prima monster, maar...' De mevrouw wees naar de uitgang. 'Eigenlijk mag je hier niet komen.'

Hij snapte wat ze bedoelde.

Ze liep mee naar de voordeur. 'Dag monster,' zei
ze, terwijl ze de deur voor hem openhield.
'Daggg mevgouwgg,' zei Daniël.
De mevrouw lachte nog eens: 'Heel goed, monster.
Ik kom naar je kijken.'
Ze deed de deur achter hem dicht, op slot.
Daniël bleef even staan. Een vreemde mevrouw
had gezegd dat hij een prima monster was.
Mooier kon niet. Hij keek in de spiegelruit van de
deur. Ja hoor, hij vond het zelf ook. Hij leek op
een monster. Daniël lachte. Maar hij moest er wel
voor uitkijken dat niet iedereen het zomaar zag.
Hij zou het er niet te dik bovenop leggen, want
dan gingen ze zeggen: "Wat doe jij gek." Het
moest net zijn of het bij hem paste.
Langzaam en met heel grote stappen liep hij naar
huis.

5 Een paars potlood?!

Joris was de eerste die er wat over zei. Het was
een paar dagen later en ze stonden op het punt
om weer naar *De Brug* te gaan. Als ze straks de
rollen gingen verdelen, móesten ze hem wel
uitkiezen. Daniël had er goed over nagedacht. Hij
had vandaag ook een beetje rood haar. Met een
spuitbus – nog van Koninginnedag – had hij een
klein beetje oranje-rood op zijn haar gespoten.
Je kon het bijna niet zien, maar toch.
'Ben jij ziek of zo?' vroeg Joris, 'je loopt de
laatste dagen zo raar en je praat zo sloom.'
Zie je wel, dacht Daniël, het lukt. Joris heeft het
gezien. Daniël zei niets en liep met grote stappen
naast Joris voort. Myrthe en Sofie liepen achter
hem. Hij hoorde hen fluisteren en lachen.
Goed zo, dacht Daniël.

Toen kwam de juf naast hem lopen. 'Is er iets met je, Daniël? Vind je het wel leuk om naar *De Brug* te gaan?'

Zou ze gemerkt hebben dat hij de vorige keer het bezoek aan *De Brug* niet zo leuk vond? Dat was nu in ieder geval anders. Hij wilde nu wat graag. Zoals je de beste dammer mee laat doen met een damwedstrijd, zo laat je de jongen die het beste monster kan zijn, ook monster spelen in een toneelstuk.

'Nee juf,' zei Daniël met een lage stem, 'met mij is er niksggg aan de hand. Niksggg.'
'Zo, ik dacht...' zei de juf, maar wat ze dacht zei ze niet.
Ze legde haar hand op zijn schouder. Daniël merkte dat ze naar zijn haar keek.
Hij voelde zich trots, rood, groot en grijs.

Meester Fernhout stond bij de voordeur. 'Fijn dat jullie er weer zijn, we zitten al op jullie te wachten. We hebben er zin in.'
Ze liepen achter de meester aan naar de gymzaal.
Er was nog een meneer, die achter een piano zat.
'Gaan jullie maar op dezelfde plaats zitten als de vorige keer.'
De kinderen van *De Brug* zaten al klaar. Sommigen riepen: 'Kom hier. Rik! Myrthe! Marianne!'
Het was duidelijk dat de kinderen van *De Bron* en van *De Brug* voor de tweede keer bij elkaar waren en dat ze samen iets leuks gingen doen.
Daniël herinnerde zich nog goed waar hij zat.
Naast die grote, dikke jongen, Mattijn. De jongen

lachte breeduit toen Daniël op de stoel naast
hem ging zitten. Hij sloeg zijn arm om Daniël en
zei: 'Mooi hè, mooi.'
Daniël maakte zich met zijn schouders los en
schoof naar de andere kant van de stoel.
'Ja mooi,' zei hij, 'mooi.'
Nu pas viel hem op dat Mattijn rood haar had.
Echt rood haar.
'Vandaag gaan we de rollen verdelen,' zei de
meester. Hij liep naar een schoolbord waarop
allerlei poppetjes getekend waren. 'Ik heb hier op
het bord alles gezet waar het in het toneelstuk
over gaat. Dit is Floris en dit Pim. In het verhaal
gaat het over een donker bos en een brede,
woeste rivier. We hebben zeven bomen nodig en
voor de rivier drie grote golven. Hier is het rode
jongetje en hier de potloden: paars, bruin, geel,
groen, blauw en rood. Dan zijn er nog een paar
vruchten, want onderweg moet er gegeten
worden: een banaan, een tomaat, een appel, een
aardbei, druiven... Let op: we gaan beginnen.'
Meester Fernhout gaf een aanwijsstok aan een

lange jongen. 'Bertus, als ik Pim zeg of Boom 1,
dan wijs jij dat aan. Afgesproken?'
'Dat snap ik, meester. Als u zegt: "Pim", dan wijs
ik dit jongetje aan.'
'Nee, het is het jongetje ernaast, met dat groene
bloesje. De naam staat eronder.'
'Deze?'
'Goed.'
De meester ging op zijn stoel zitten en pakte een
groot papier. 'Ik heb al even met juf Julia
overlegd,' zei hij.
De juf pakte haar stoel en ging naast meester
Fernhout zitten.
'Eerst Floris. De juf en ik dachten dat dat maar
een kind van *De Bron* moest zijn. Eentje die goed
kan spelen. We hadden gedacht aan... Joris.
Joris, waar zit je?'
Joris stak zijn vinger op.
'Daar,' zei juf.
'Joris en Floris, dat past bij elkaar. Juf Julia
vertelde me dat jij ook nog behoorlijk kunt
zingen, dat komt mooi uit. Joris, kom maar.'

Er werd enthousiast geklapt. Joris kleurde een
beetje.

'Ga daar maar op de bank zitten,' zei meester
Fernhout.

Joris stond op en ging zitten op een bank onder
het raam.

'Dat is de eerste rol, een belangrijke rol. En nu
het grijze monster, die is ook belangrijk.'

Daniël ging rechtop zitten en maakte zich breed.
Op dat moment ging de deur open en kwam een
meisje binnen met een dienblad met drie kopjes.
Een ander meisje hield de deur open.

'Meester Fernhout, koffie!' riep het meisje bij de
deur.

'Breng het maar hier, Minke,' zei de meester.
Heel voorzichtig, voetje voor voetje, kwam het
meisje met het dienblad naar de meester. Dat kan
nooit goed gaan, dacht Daniël. Maar het ging wel
goed.

'Suiker en melk?' vroeg het andere meisje.

'Alleen een beetje melk, Melissa,' zei de meester.

'Ik ook,' zei juf.

'Ik graag melk én suiker, twee schepjes,' riep de
meneer achter de piano.
Terwijl Minke het dienblad vasthield, schonk
Melissa de melk in.
Een, twee, drie...
O nee, dacht Daniël, maar het gebeurde wél. Het
meisje schonk gewoon door, in de suikerpot.
'Wat doe je nu?' zei de meester.
Hier en daar werd gelachen. Myrthe lachte en
Jelle en het kind daartussenin. Ook Joris op de
bank grinnikte.
Stom dat ze daarom gaan lachen, dacht Daniël,
dat meisje zag het toch gewoon niet?
'Een ongelukje, zullen we maar zeggen,' zei de
meester vrolijk. Hij deed een beetje suikermelk in
het kopje van de meneer achter de piano. 'Hier,
breng dat maar even naar de pianist, Melissa.'
Meester Fernhout nam een slok van zijn koffie.
'Waar waren we ook alweer?'
Bij het grijze monster! wilde Daniël zeggen. Hij
stak aarzelend zijn vinger op, maar de meester
wist het alweer.

'Juist ja, het kleurenmonster. Wij hadden gedacht dat het monster maar iemand van *De Brug* moest zijn.'

De Brug? Had Daniël dat wel goed gehoord? Hij zat toch op *De Bron*!

'Er is één iemand met rood haar hier in de gymzaal.'

'Niet helemaal waar,' zei de juf lollig, 'Daniël heeft ook een beetje rood haar, ziet u dat?'

Er werd gelachen.

'Nu je het zegt.' En tegen Daniël: 'Had je een feestje?'

Daniël schrompelde in elkaar.

'Mattijn.'

Mattijn straalde, ging staan en zwaaide breedlachend in het rond.

'Jij bent de rode jongen én het grijze monster.'

'Mooi,' riep Mattijn, 'mooi.'

Er werd geklapt en gejoeld. 'Mattijn, Mattijn,' werd gescandeerd.

Op een holletje liep Mattijn naar de bank en ging naast Joris zitten. ♟

Daniël staarde Mattijn na. Het leek wel of hij een klap in zijn gezicht had gekregen, of hij was geslagen. Of juist andersom: dat híj, Daniël, had geslagen, mis had geslagen en was omgevallen door de kracht waarmee hij missloeg.

Daniël keek naar de meester. Hij moest nu opstaan en zeggen: "Is het niet beter dat ík het monster ben? Ik heb er gisteren en eergisteren op geoefend. Ik kan het heel goed. Kijk nou eens naar Mattijn. Wat kan die nou. Hij loopt niet als een monster, hij kijkt niet als een monster, hij kan nauwelijks praten." Het zou even stil zijn in de gymzaal en dan zou de meester zeggen: "Zo heb ik het niet bekeken, je hebt daar eigenlijk wel gelijk in. Dat moet dus anders. Een vergissing maken we allemaal wel eens. Ga maar snel naast Joris zitten. Enne Mattijn, helaas..."

Maar er gebeurde niets. Daniël zat doodstil met zijn armen over elkaar en meester Fernhout ging gewoon door. 'De rol van Pim, dat is iets voor Willem. Ga maar zitten.'

'En Truus Annet, Jessica Hilde, Tom Evert, Marc...'

Daniël veegde met een hand over zijn ogen. Hij
hoorde niets meer en hij zag niets meer. Kinderen
liepen van hun plaats naar de bank die steeds
voller werd.
'Daniël,' werd er na een poosje geroepen. 'Dániël,
jíj.'
Hij keek op.
'Ga maar zitten.'
Vanaf de bank zag Daniël dat de jongen met de
aanwijsstok een potlood aanwees. Hij was dus
potlood. Maar welke kleur wist hij niet. Het kon
hem niks schelen ook.

Op de terugweg was Daniël stil. Ze hadden, nadat
alle rollen waren verdeeld, nog een paar liedjes
gezongen, liedjes die voorkwamen in het
toneelstuk.
De juf was weer naast hem komen lopen. 'Ik
geloof toch echt dat er iets met je is, je bent
ziek, hè,' zei ze. 'Je bent zo stil en je ziet zo pips.
Als we bij school komen, mag je wel meteen naar
huis.'

'Ik ben tomaat en Sofie boom,' hoorde hij Myrthe zeggen. 'En jij Jasper?'

'Wij zijn potloden,' zei Jasper. Hij liep naast Daniël. 'Ik ben het bruine potlood en Daniël het paarse.'

'Wat zeg je?' vroeg Daniël. Hij hoorde zijn naam noemen.

'Ik zeg dat jij het paarse potlood bent. Zo is het toch?'

Daniël knikte.

6 Patatje potlood

Hoe was het op school?' vroeg mama. Ze zat aan
de keukentafel en las een brief.
'We zijn naar *De Brug* geweest.'
'Wat moest je bij de brug?'
'Nee, we zijn naar *De Brug* geweest.'
'O, voor dat toneelstuk. Hoe was het?'
'Ging wel, gewoon.'
'Is het een leuk toneelstuk?'
Daniël haalde zijn schouders op en wilde
weglopen.
'Kijk,' zei mama, 'vanmorgen was er bij de post
deze brief. Frits mag meedoen met *The European
Mathematic Games.*'
'Met de wát?'
'Met een Europese wedstrijd wiskunde voor
middelbare scholieren. Hij heeft daar toch een

paar weken geleden een soort test voor gedaan?
Nu mag hij met twee andere kinderen naar
Lissabon.'
Mama schoof de brief naar de andere kant van de
tafel.
'Hier staat het... Frits Faber... en hier: Lissabon,
Portugal. Wat zal Frits opkijken!'
Met veel lawaai ging op dat moment de voordeur
open. Het was Frits. 'Mama, mama!' riep hij. Hij
liep de kamer in. 'Mama...'
'Hier zijn we, in de keuken.'
Daar stond Frits. Hij had zijn jas nog aan. 'Ik mag
naar Lissabon.'
'Dat wilde ik je juist vertellen,' zei mama, 'we
kregen vanmorgen deze brief.'
'De rector kwam in de klas. Iedereen op school
weet het al: Lissabon! Is dat niet geweldig! Met
een jongen uit Alkmaar en een meisje uit Axel. Ik
bel papa even.'
'Zou je dat nou wel doen? Hij is misschien net
met een patiënt bezig.'
Maar Frits was al verdwenen. Even later stak hij

zijn hoofd om de hoek van de deur met de telefoon in zijn hand. 'En oma. Die bel ik ook.'
Het ging die middag over niets anders dan over de wiskundewedstrijd. Frits belde en belde en werd gebeld.
'We eten vanavond maar een patatje. Mijn hoofd staat niet naar koken,' zei mama. 'Wil jij patat halen, Daniël?'
Daniël was blij dat hij eventjes weg kon.
Ze zaten al aan tafel toen hij van de patatman terugkwam. Nog steeds ging het over de wedstrijd.
'Jongen, dat heb je van mij, ik was vroeger ook goed in wiskunde,' zei papa, 'maar zo goed als jij...'
'Mogen wij als ouders ook mee?' vroeg mama.
'Dat mag wel, maar dan moet je het zelf betalen.'
'Ik kan best een paar dagen vrij nemen, dat regel ik wel met de collega's,' zei papa.
Josta zat in de kinderstoel en morste een grote klodder pindasaus op haar trui. Mama veegde het af zonder er iets van te zeggen.

Daniël at stil van zijn patatjes. Af en toe keek hij
naar Frits.
'Nou, jongen, Daniël, wat vind je van je grote
broer?' zei papa. 'Is het niet fantastisch?!'
Daniël knikte.
'Daniël gaat ook iets moois doen,' zei mama, 'een
toneelstuk.'
'O ja, met *De Brug*,' zei papa, 'een toneelstuk.
Waar gaat dat over?'
'Over een kleurenmonster.' Daniël wilde er
eigenlijk niet over praten.
'Een kleurenmonster? Vertel eens wat meer,
jongen.'
'Over een jongen met rood haar en die mag niet
meedoen. Dan haalt ie alle kleuren weg, want hij
is dan kleurenmonster... nou en dan gaan ze op
zoek... en dan vinden ze hem.'
'En wat ben jij in het toneelstuk?' vroeg papa.
'Dat weet ik niet meer zo goed. Een... een...'
'Een wat? Een... Zeg het es?'
'Nou, iets van een potlood of zo.'
'Een pótlood?' daverde Frits. 'Zei je: een pótlood?'

Het leek wel of Frits ergens uit wakker werd en
het was opeens afgelopen met de wedstrijd.
'Een paars potlood,' zei Daniël zacht, aarzelend,
'of... of... of zoiets.'
'Een potlood, laat me niet lachen. Een
kleurenmonster... dát zou nog iets zijn, maar een
pótlood.'
'Frits,' zei mama, 'denk aan Lissabon.'
'Poe, poe, meneer mag potlood spelen.'
'Wat moet je dan doen als potlood?' vroeg papa.
Verbeeldde Daniël het zich of lachte papa ook een
beetje?
'Mijn wiskundeleraar zegt altijd: Dames en
heren... en potloden. Ik hoor bij de dames en
heren, maar als je potlood wordt genoemd, dan
ben je wel echt een sukkeltje.'
Mama probeerde het weer over de wedstrijd te
hebben. 'Wat zei oma van de wedstrijd?'
'Potlood?' zei Josta, 'wil Daniël potlood?'
'Nee,' zei Frits, 'Daniël ís een potlood, met een
puntje. Moet je eens kijken naar dat haar, daar zit
zelfs al een beetje kleur in. Of heb je er patat

met currysaus in gesmeerd? Patatje potlood.'
'Je haar is inderdaad een beetje rood. Is dat door
het toneelstuk gekomen?' zei papa.
'Daniël ons potloodventje,' grinnikte Frits.
'Doe niet zo stom,' riep Daniël. Hij sprong op. Zijn
stoel viel om. Hij nam een handvol patat en
smeet die naar Frits.
'Daniël,' riep mama.
'Dat zet ik je betaald, rotjoch,' riep Frits.
'Stop,' riep mama.
Frits kwam overeind.
Daniël rende de kamer uit naar boven.
Josta begon te huilen.
Met een klap gooide Daniël de deur van zijn
kamertje achter zich dicht.

Vandaag waren ze weer op weg naar *De Brug* om
te oefenen. Ze waren er al een keer of vier
geweest. Frits had sinds die keer aan tafel Daniël
nooit meer voor potlood uitgescholden. Hij had
losjes 'Sorry, sorry' gezegd en toen was hij
sommen gaan maken. En dat deed hij nu nog. Als

hij maar even tijd had, maakte hij sommen, wiskundesommen.

Daniël had helemaal geen zin om naar *De Brug* te gaan. Maar het moest en daarom liep hij hier, met de kinderen van zijn klas.

En natuurlijk kwam Joris weer naast hem lopen. Opscheppertje.

Daniël had zelf nooit de rol van Floris willen spelen, maar hij werd er wel gék van. Als ze aan het oefenen waren, was het om de haverklap: Joris, kom eens hier, en: Joris, doe dit eens, en: Joris, zeg eens zus, en: Joris, zing eens zo.

Joris werd met de dag belangrijker. En naar de potloden keek niemand om.

'Soms denk ik: Ik zou ook wel een andere rol willen hebben, boom of potlood, zoals jij. Niet dat ik het érg vind om de hoofdrol te spelen, maar ik moet wel veel doen en dat is niet altijd gemakkelijk.'

'Wat maakt het nou uit wat voor rol je hebt,' mompelde Daniël.

Er reed een jongen op een fiets langs met een

grote tas achterop. Het had Frits kunnen zijn.
Potloodventje! Potloodje zijn!
Leuk was anders!
Floris spelen of het kleurenmonster of uitgekozen
worden voor een wedstrijd in Portugal. Dát was
pas leuk.

7 Pijn

Toen ze een uurtje geoefend hadden, liep de
meester naar de andere kant van de gymzaal. Er
stonden tegen de achterwand een paar bomen,
golven, een appel en een tros druiven.
Levensgroot en heel mooi van karton gemaakt.
De meester haalde een stuk paars karton
tevoorschijn.
'Daniël, kom eens hier.'
Hij vouwde het stuk karton om Daniël heen alsof
hij hem inpakte. Met een viltstift zette hij aan
iedere kant van het karton een cirkel en sneed
met een stanleymes de twee cirkels uit. Daniël
moest zijn armen door de gaten steken. Bovenop
zijn hoofd werd een grote, paarse punt gezet.
Daniël haalde diep adem. Hij kon zich nauwelijks
bewegen.

'Het staat je prachtig,' zei de meester. Hij zette
met de viltstift strepen op het karton en op de
punt golfjes, zodat het leek alsof de punt
geslepen was.
Daniël zag zichzelf in de spiegelende ruit. Daar
stond hij dan: een soort onhandige, stijve
kabouter.
'Hoe vinden jullie het?'
'Mooi,' riep Mattijn.
'Leuk,' riepen de anderen.
Ze klapten in hun handen.
'Precies een potlood, een paars potlood.'
'We gaan de rest ook even passen,' zei de meester,
'maar om de punten vast te maken, heb ik van dat
dikke elastiek nodig. Mattijn, wil jij dat voor me
halen bij Prins IJzerwaren in het winkelcentrum?'
Mattijn knikte.
De meester had ondertussen Daniël bevrijd uit
zijn kartonnen harnas.
'Je weet waar dat is, hè. Je mag iemand
meenemen. Kies maar uit.'
Mattijn wees direct naar Daniël.

'Wil jij het paarse potlood mee?'
Mattijn grijnsde breeduit en liep naar Daniël toe.
Hij sloeg zijn arm om hem heen. 'Ja,' zei hij.

Het was maar een klein eindje lopen. Daniël
woonde vlakbij het winkelcentrum en bij Prins
IJzerwaren kenden ze hem wel. Ze verkochten
daar niet alleen spijkers, boormachines en zagen,
maar ook stopcontacten, touw en elastiek.
'Ik weet wel waar het is,' zei Daniël. De meester
had Mattijn een klein stukje elastiek
meegegeven. Daarvan moesten ze drie meter
hebben. Mattijn had Daniël een hand gegeven,
maar zodra Daniël kans zag, had hij zijn hand
losgetrokken. Hij stopte zijn handen in zijn
zakken en hield een metertje afstand.
Een buurvrouw fietste langs met volle tassen aan
het stuur. 'Hallo, Daniël,' riep ze.
Daniël stak zijn hand op. 'Dag buurvrouw.'
Ook Mattijn zwaaide. 'Hoi,' riep hij en hij lachte.
Toen de buurvrouw al voorbij was, keek ze over
haar schouder nog even om.

Mattijn was wel twee koppen groter dan Daniël. Meteen al toen ze op straat waren, had Daniël gezien dat Mattijn een beetje raar liep. Hij zette zijn voeten niet alleen recht vooruit, maar telkens ook een beetje opzij, zodat het leek of hij waggelde.

En dat lachen! Mattijn lachte naar iedereen die hij tegenkwam. Ze moesten maar voortmaken. In deze buurt waren veel mensen die Daniël kenden.

Hij woonde hier immers vlakbij. In de verte kwam de overbuurman aanlopen. Hij had zijn hond Bo bij zich. Toen ze bij Daniël waren, bleef de hond staan. Hij sprong tegen Daniël op.

'Dag Daniël,' zei de overbuurman, 'samen aan de wandel?'

Mattijn aaide de hond.

'Moet je niet naar school?'

'Ik moet van de meester een stuk elastiek kopen bij Prins,' zei Daniël.

'Pins,' zei Mattijn en hij lachte.

'Is dat je vriend?'

Mattijn knikte.

'We moeten maar weer eens opschieten, want eh... de meester wacht op z'n elastiek,' zei Daniël, 'dag.'

'Dag Daniël en dag... hoe heet jij?'

'M-ttijn.'

'Dag Metijn.'

Mattijn zwaaide.

De overbuurman zwaaide terug.

Bij het huis op de hoek stond een grote steiger.
Mannen hadden de gevel geschilderd. Ze waren
kennelijk bijna klaar, want de steiger was al voor
de helft afgebroken. Er stond niemand meer op de
steiger. Als ze hier verder wilden, moesten ze
even van de stoep af, om de steiger heen.
We kunnen ook gewoon rechtdoor, dacht Daniël,
eroverheen.
Hij stond stil en keek omhoog. Ze konden aan
deze kant naar boven. Ongeveer ter hoogte van
de ramen op de eerste verdieping was een plank.
Daar konden ze overheen lopen en dan zo aan de
andere kant er weer af.
Hij keek naar Mattijn. Het zou voor hem niet
gemakkelijk zijn om naar boven te klauteren.
Mattijn was groot en vooral erg dik. Trouwens er
lag maar een smalle plank en om van het ene
stuk steiger op het andere te komen, moest je
een grote stap nemen. Misschien zou hij wel naar
beneden duvelen. Aiii... boem. Au. Doodvallen
zou hij wel niet, maar misschien brak hij een
been.

Daniël haalde diep adem. Hij schudde zijn hoofd
om niet te hoeven denken hoe fout zijn plannetje
was.

'Mattijn, kom op, we gaan rechtdoor, eroverheen.
We laten ons niet kennen.'

Daniël pakte een buis van de steiger vast en klom
een klein eindje omhoog.

Natuurlijk gingen ze hieroverheen. "Ik kon er niks
aan doen," zou hij dan later tegen de meester
zeggen, "Mattijn wilde per se."

'We gaan hier omhoog, Mattijn,' wees hij, 'en dan
over die plank en dan helemaal doorlopen en daar
er weer af.'

"Maar hoe moet het dan met ons toneelstuk?"
zou de meester vragen.

Daniël klom nog een eindje hoger. Hij keek over
zijn schouder naar beneden. Mattijn keek hem
aan met een diepe rimpel.

'Je kunt het best, kom op.'

Joris zou dan zeggen: "Kan Daniël het grijze
monster niet spelen? Ik heb zelf gezien hoe goed
ie is."

"Maar hij is toch al potlood," zou de meester zeggen, maar dan zou Joris weer zeggen: "Een paars potlood kan iedereen wel zijn." En zo was het!

Mattijn zette zijn voet op de onderste paal van de steiger. Een been breken, dat zou wel zielig zijn voor Mattijn. Daniël moest daar maar niet aan denken. Hij zou iets moois voor Mattijn kopen.

'Gewoon doen, zo,' riep Daniël naar beneden. Hij was nu bijna bij de eerste verdieping.

''t Is een makkie, iedereen kan het.'

Mattijn stond nu met twee voeten op de steiger. Daniël klom tussen de steigerpalen door en stapte op de smalle plank. Hij hield zich goed vast. Hij keek tussen de spijlen door naar beneden recht in het benauwde gezicht van Mattijn.

'Ik ben er al, zie je. Niks aan, kom maar.'

Mattijn schudde zijn hoofd.

Nou moest hij doorzetten. Als Mattijn zou zien hoe makkelijk het ging, dan zou hij wel volgen. Daniël stond nu op de plank. 'Kijk, met losse

handen,' lachte hij. Hij strekte zijn armen uit en draaide zich een beetje om, om naar beneden te kunnen kijken. De plank verschoof. Daniël wankelde, verloor zijn evenwicht en met een klap kwam hij op zijn onderkaak terecht, precies op een buis van de steiger. Hij greep wild om zich heen, kon nog net een stang vastpakken. Met een dreun kwam hij ertegenaan. Nog één keer stuiterde hij terug. Toen hing hij stil.

'Help,' riep hij. Een stekende pijn in zijn kaak kwam op en hij merkte dat er iets warms over zijn gezicht begon te lopen. Hij hing tussen hemel en aarde en hij voelde de kracht uit zijn armen wegvloeien.

Toen opeens was Mattijn daar. Hij was onder de steiger door gekropen en omhooggeklommen. Met één hand klemde hij zich vast, met de andere pakte hij Daniël. Hij sloeg zijn arm om hem heen. Daniël voelde hoe sterk Mattijn was en hij liet los. Heel voorzichtig klom Mattijn naar beneden en behoedzaam zette hij Daniël op de grond. Daniël huilde. Hij had pijn en hij was

geschrokken. Mattijn pakte hem bij de hand,
hielp hem zachtjes buiten de steiger te komen.
Daar stonden ze: Mattijn en Daniël. Mattijn
haalde een grote zakdoek uit zijn zak en duwde
die tegen de mond van Daniël.
'Pijn,' zei Mattijn, 'pijn hè.'
Daniël haalde diep adem en slikte een paar keer.
'Pijn,' zei Mattijn nog een keer. Hij legde zijn
hand op Daniëls hoofd en aaide hem.
Een paar minuten later stonden ze in de winkel
van Prins. 'Wat heb jíj nou?' vroeg mevrouw Prins,
'ben je gevallen? Je hebt een grote plek op je
kin.'
Ze pakte een verbandje en met een stukje
leukoplast deed ze dat op de wond. 'Ben je
gestruikeld of zo?' vroeg ze.
Daniël knikte.
'Beter uitkijken.' Ze mat drie meter elastiek af,
rolde dat op en deed dat in een zakje. 'Hier, nog
een pepermuntje.' Onder de toonbank vandaan
haalde ze een doosje met pepermuntjes. 'Neem er
ook maar een paar voor onderweg.'

'Dank u wel,' zei Daniël met een klein stemmetje.

'Dank,' zei Mattijn.

Ze liep met hen mee naar de deur en hield die voor hen open. 'Pas maar goed op hem, Mattijn.'

Mattijn lachte en pakte Daniëls hand. ♜

8 Para umeu queriduo irmao

'Wat heb jij nou?' vroeg mama, toen hij na
schooltijd thuiskwam. Ze haalde het verbandje
eraf en deed zalf op de zere plek. 'Ben je
gevallen?'
Daniël knikte.
'Je moet er maar niks meer opdoen, dan geneest
het sneller.'
Het prikte en hij had telkens de neiging om er
aan te zitten.
'Wat is er met jou gebeurd?' vroeg papa.
'Hij is gevallen,' zei mama.
'En je tanden? Laat eens kijken?'
Papa nam Daniël mee naar het raam, pakte een
tandartsspiegeltje uit de kast en keek. 'Van je
voortand is een splintertje af. Vanavond gaan we
wel even naar de praktijk, dan slijp ik het bij.

Heb je er last van?'
Daniël ging met zijn tong over zijn voortanden.
Het voelde een beetje scherp.
Frits kwam pas aan tafel toen ze allang begonnen
waren. Een wiskundeboek legde hij naast zijn
bord. Hij at en las. Papa en mama deden net of ze
het niet zagen. Over vijf dagen was de wedstrijd
en Frits begon elke dag zenuwachtiger te worden.
Pas toen Daniël hem de vruchtenyoghurt
aanreikte, zag hij het.
'Wat heb jij gedaan? Doet 't pijn?'
'Nee, hoor,' zei Daniël, 'ik voel er niks van.'
Frits las alweer. Hij nam een hap van de yoghurt.
Een grote klodder yoghurt viel op het tafelkleed.
'Frits, kijk uit, je knoeit,' zei mama.
'Ik pak wel even een doekje,' zei Daniël.

Het was een week voor de voorstelling. Ze gingen
nu bijna iedere dag een uurtje oefenen. Ze waren
er bijna klaar voor. Mattijn had prachtige,
knalrode kleren en een donkergrijs wijdvallend
monsterpak. Tijdens het oefenen maakte meester

Fernhout foto's en een paar dagen later stond er in *De Poortkrant: Zaterdag om acht uur in de stadsgehoorzaal 'Het kleurenmonster', gespeeld door kinderen van 'De Brug' en 'De Bron'. Toegang vrij.* Daarboven een foto. Daniël verschoot van kleur toen hij de foto zag. Mattijn stond erop als grijs monster en Joris en Truus, en helemaal vooraan stond Daniël. Daniël als potlood.
'Wat een mooie foto,' zei mama, 'ben jij dat paarse potlood vooraan? Wat ziet dat er schitterend uit.'
Mama knipte de foto uit en hing die in de keuken op het prikbord.

Of het nu door de foto kwam of door Mattijn of omdat Frits in Portugal was of gewoon omdat het nog maar een paar dagen zou duren voor het zaterdag was... waardoor het kwam, wist hij niet, maar Daniël had er opeens zin in. Zin in het toneelstuk. Hij telde de dagen af.

De dag voor de voorstelling kwam Frits terug uit

Portugal met papa. Frits had de
wiskundewedstrijd niet gewonnen. Hij was
tweeëndertigste geworden. Tweeëndertigste van
Europa! Dat was ook best goed, tenminste, dat
vond Frits. Hij had dríe dagen achter elkaar
sommen zitten maken.
Hij liever dan ik, dacht Daniël. Maar papa en Frits
hadden ook veel gezien. Ze waren zelfs nog een
dagje naar het strand geweest. Voor iedereen
hadden ze een souveniertje. Josta kreeg een
Portugees kleurboek, mama een fles port. Voor
Daniël had Frits een klein zilveren potloodje
meegenomen aan een kettinkje. Er stond
ingegraveerd: *para umeu queriduo irmao.*
'*Voor mijn lieve broertje* betekent dat,' zei papa.
'Dat heb je leuk bedacht,' zei mama.
Daniël hing het om zijn nek.
'Een mooi potloodje voor een mooi
potloodbroertje,' zei Frits.
Daniël lachte.

9 Zwemmen in de gracht

Het was de avond van de voorstelling. De hele
familie ging mee.
'Ben je zenuwachtig?' vroeg mama.
'Nee hoor,' zei Daniël, maar hij voelde het wel
kriebelen.
Papa zat naast mama rechts voorin de auto,
Daniël daarachter. Josta zat in een kinderzitje
achter mama en Frits in het midden.
Daniël wreef zijn handen nerveus over elkaar.
Frits merkte het. 'Als je straks op het podium
staat en je bent begonnen, dan is de spanning er
zo af. Dat was met mijn wedstrijd ook zo.'
Daniël pufte.
'Ik ben benieuwd wat het wordt met die kinderen
van *De Brug*,' zei papa, terwijl hij zich omdraaide.
'Is het nou niet een beetje gek om samen met

zulke kinderen straks in de stadsgehoorzaal op het podium te staan?'
'Het zijn heel gewone kinderen, hoor.'
Daniël snapte niet waar papa het over had. Hij was nu zo vaak bij de kinderen van *De Brug* op school geweest, dat hij de kinderen daar heel gewoon vond. Je kon ermee lachen en mee spelen. Je kon er dingen samen mee doen en ook dingen niet. Heel normaal.

De stadsgehoorzaal lag aan een gracht. Mama parkeerde de auto precies daartegenover aan de andere kant van de gracht.
'Pas op met uitstappen,' zei papa, 'let op.'
Natuurlijk lette Daniël op. Aan de kant waar hij uitstapte was een laag hekje en een centimeter of veertig verder was het water van de gracht.
Op de stoep voor de stadsgehoorzaal stond het zwart van de mensen. Al die mensen kwamen kijken naar het toneelstuk.
Daniël haalde diep adem. Hij had er nog meer zin in dan daarnet. Nú ging het gebeuren. Als hij

maar niet te laat was, als hij maar niet de laatste was.

Daniël stapte uit. Hij hield zich vast aan de halfopen deur en zette zijn voet voorzichtig op de bovenkant van het hekje. Hij keek of hij ook iemand van school zag. Daar liepen Myrthe en Suzan.

Mama aan de andere kant van de auto tilde Josta uit haar stoeltje.

Er waren gelukkig nog meer kinderen: Henriëtte, Kimberley, Rik. Daar liep zelfs Mattijn.

'Mattijn,' riep Daniël, 'Mattijntje!'

Mattijn keek om zich heen, zocht. Rik wees naar de overkant, naar Daniël. Mattijn zwaaide met beide handen.

'Ik kom,' riep Daniël.

'Schiet op, joh,' hoorde hij Frits zeggen. Met één hand had Daniël de deur vast en met de andere leunde hij op het dak van de auto. Hij wilde een stap doen net op het moment dat Frits de auto uitwipte. Frits duwde met twee benen de deur helemaal open. Daniël voelde de deur wijken,

hield hem krampachtig vast, verloor zijn
evenwicht en zeilde door de lucht. Het leek of hij
even bleef hangen boven het donkere water van
de gracht. Toen een klap, koud en nat. Het water
sloot zich borrelend boven zijn hoofd, opende
zich. Hij kwam boven, hapte naar adem, ging
weer kopje onder, sloeg en trapte met armen en
benen. Hij kon zwemmen als de beste, maar nu
wist hij niet wat hij moest doen. Toen hij voor de
derde keer boven kwam, werd hij vastgepakt.
Frits!
'Rustig,' zei Frits, 'zwemmen!'

Frits tilde hem een beetje omhoog uit het water.
Overal aan weerszijden van de gracht stonden
mensen. Er huilde iemand, er werd geroepen en
geschreeuwd. De stenen muren aan weerzijden
van de gracht staken wel twee meter boven het
water uit. Hier konden ze nooit uit het water
komen.
'Deze kant op,' werd er geroepen.
Frits pakte Daniël bij de arm en begon te
zwemmen. Daniël deed ook een paar slagen.
'Onder de brug door,' werd er geroepen.
Ze kwamen langzaam vooruit. Toen ze bij de brug
waren, begon ook Daniël te zwemmen. De mensen
liepen mee.
Er werd gewezen: 'Daar! Kijk daar! Daar, die kant
op.'
Om de bocht die de gracht een eindje verderop
maakte, kwam een bootje aanvaren, een
roeiboot.
'Volhouden,' werd er geroepen.
'Kom op,' hijgde Frits.
Daniël hapte naar adem. Er was maar weinig

stroming in het water, maar ze moesten er wel
tegenin. En zijn natte kleren maakten het bijna
onmogelijk om vooruit te komen.

Frits pakte hem onder zijn arm. 'Wacht maar
even.'

Daniël hield op met zwemmen. Hij legde zijn
handen op de schouders van Frits, zo liet hij zich
drijven. Hij keek om zich heen. Er stonden
honderden mensen langs de kant. Het leek wel of
de hele stad was uitgelopen. Voor Daniël het
goed en wel in de gaten had, was het bootje er,
werd hij vastgepakt en omhooggehesen.

'Ga daar maar zitten, op dat bankje daar,' hoorde
hij iemand zeggen. Ze trokken Frits de boot in.
Het water droop uit Daniëls kleren. Hij wreef met
zijn koude handen in zijn ijskoude gezicht.

De twee mannen in de boot waren brandweer-
mannen. Ze hadden wijde, glimmend zwarte
kleren aan met een paar zilveren strepen op hun
rug. Ze gingen naast elkaar op een bankje in het
midden van de boot zitten, met de rug naar
Daniël en Frits toe en pakten ieder een roei-

spaan, die ze diep door het water haalden.

'Hou je goed vast,' riep een van de mannen. Hij had tot nu toe nog niks gezegd. 'Jullie hebben mazzel. We waren vanavond met de brandspuit aan het oefenen een eindje verderop in de gracht.'

Ze trokken de boot snel door het water. Daniël huiverde. Nergens was een plekje aan hem dat niet nat was en niet koud. Frits zei niets. Hij zat ineengedoken op het bankje naast Daniël.

De mannen roeiden het bootje tot aan de volgende brug, waar stenen traptreden uit het water omhoogkwamen. De mensen op de kant waren meegelopen. Een van de mannen hielp Daniël overeind, tilde hem uit de boot en zette hem op de tree die net even boven het water uitstak. 'Hou je vast aan die ijzeren stang,' zei de man. Hij stapte achter Daniël de trap op.

Frits klom zelf uit het bootje en de andere man maakte de boot met een touw vast aan een ring in de muur.

Met twee handen omklemde Daniël de stang die

als leuning dienstdeed en met zijn plakkerig natte, loodzware kleren liep hij voorzichtig de trap op. Toen zijn hoofd boven het randje uitstak, riep iemand zijn naam en werd er geklapt. Eerst vlakbij, toen aan de overkant en ook op de brug was er iemand die in zijn handen klapte.

'Buigen,' riep de brandweerman achter hem, 'ze klappen voor jou, buigen.'

Daar stond Daniël. Op de kant. Druipend. Hij veegde met een hand zijn haar naar achteren.

Hij zag de mensen naar hem kijken en opeens was hij even niet meer het jongetje dat in het water was gevallen, maar een jongen die iets had meegemaakt. Hij boog naar links, naar rechts, naar voren. Hij zwaaide naar de mensen op de brug. Er klonk een daverend applaus; door de smalle gracht en de hoge huizen aan weerszijden weerkaatste het geluid en het leek wel of er een hele stad aan het applaudisseren was.

'Jongen toch!' Mama stond naast hem en pakte hem bij de hand. 'Kinderen toch.'

Ze nam Daniëls natte hoofd tussen haar handen en kuste hem. Tranen stonden in haar ogen.

'Kom,' zei ze. Ze pakte Frits met de ene en Daniël met de andere hand. De mensen gingen vanzelf opzij. Vlakbij, op de stoep, stond de auto. Papa had Josta op de arm.

'Vlug,' zei mama. Ze opende de deur, duwde Daniël naar binnen, toen Frits.

'We zijn kletsnat,' zei Frits.

'Kan me niets schelen, opschieten.'

Papa ging voorin zitten met Josta op schoot.

Mama sprong aan de andere kant in de auto en startte.

'Mooie boel, de hele auto wordt nat,' zei papa.

Er waren veel mensen op straat. Mama toeterde.

'Had dan beter uitgekeken waar die jongen liep.' Mama toeterde nog eens nadrukkelijk.

'Geef mij de schuld maar. Ik zei nog zo tegen Daniël: Let op. Dat zei ik toch?'

'Je had hem een hand moeten geven. Je weet toch hoe gevaarlijk dat is, aan die kant uitstappen.'

'Ga maar door.'

Mama sloeg bij de poort linksaf. 'Daar gaat onze leuke avond en door wie komt dat?' Mama zat rechtop en kneep in het stuur.

'Niet door mij dus,' zei papa, 'en wat heeft het voor zin om dat nu te zeggen, we kunnen er toch niets meer aan veranderen. Daniël is in het water gekukeld en verder is er niks gebeurd. Hij had ook met zijn hoofd tegen de stenen muur aan kunnen komen. Wees blij dat het zo is afgelopen. En Frits: klasse joh!'

'Ik vind dit al erg genoeg: drijfnatte auto, avond
naar de maan...'
Josta begon te huilen.
'Huilend kind, twee verzopen katten, een
zeurende man... het kan niet op.'
Papa hield zijn mond, aaide Josta geruststellend
over haar wang draaide zich om en gaf een
knipoog.
'Het hele toneelstuk is in het water gevallen,' zei
mama, 'letterlijk in het water gevallen!'
Daniël zat in elkaar gedoken achterin de auto.
'Dat Daniël niet mee kan doen, betekent toch niet
dat het toneelstuk niet kan doorgaan,' zei papa.
'Eén potlood meer of minder zal niets uitmaken.
En voor Daniël is het hartstikke jammer, maar
laten we blij zijn dat er niet nog iets ergers
gebeurd is.'

10 Op de foto

Daniël zat in zijn pyjama op de bank in de kamer
en dronk warme chocolademelk. Hij was onder
een hete douche geweest. Hij huilde, maar niet
hardop.
'Sorry,' had Frits gezegd, 'het spijt me echt.'
'Je mag Frits wel bedanken... als hij je niet
achterna was gesprongen...' zei mama.
Daniël bladerde in een boek.
'Ze maken er vast wel een video-opname van,' had
papa gezegd om Daniël te troosten. 'Ik vind het
heel vervelend voor je, maar het heeft geen zin
om naar de stadsgehoorzaal terug te gaan. Als
het toneelstuk om acht uur begint en we komen
nog eens om half negen bij de stadsgehoorzaal
en je moet dan dat pak nog aan...'
Het was tien voor half negen. Papa legde Josta in

bed, Frits was op zijn kamer en kleedde zich aan.
Mama zat op de wc.

Er stopte een auto. Een lange man stapte uit. In
een flits zag Daniël dat het meester Fernhout
was. Daniël sprong op, holde de trap op naar
boven. De meester moest hem niet zien in zijn
pyjama.
Er werd gebeld. Mama deed open. Daniël had zijn
broek al aan. Hij hoorde de meester en mama de
gang doorlopen naar de kamer. Sokken en een
trui. Papa kwam het kamertje van Josta uit.
'De meester van *De Brug* is er. Komen jullie naar
beneden, Anne, Frits, Daniël,' riep mama naar
boven.
Hij had de veters van zijn schoenen nog niet
dicht. Frits en papa liepen de trap af naar
beneden.
'Daniël!' riep papa.
'Daniël?' riep Frits.
Daniël kwam de trap af. Ze stonden met z'n vieren
in de gang onderaan de trap.

'Ik heb een jongen in de auto en die wil niet meer...' zei de meester, 'die wil niet meer meespelen.'

Daniël stond halverwege de trap en keek de meester niet-begrijpend aan.

'We hebben je nodig, Daniël. We wachten op je. Ga je mee?'

Daniël keek naar mama en naar papa. Mama knikte.

'Kom op,' zei papa, 'je hebt de meester toch gehoord? Jas aan en wegwezen.'

Daniël sprong van de vijfde tree naar beneden, pakte een jas van de kapstok. De meester was al naar de deur gelopen.

'Ik blijf bij Josta,' zei papa.

'Daniël mag met mij mee,' zei de meester.

'Tot straks,' zei mama, 'Frits en ik komen zo.'

Frits stak zijn duim op. 'Dag potlood, maak er wat van.'

De meester had de deur van de auto al open. Een grote hand werd naar Daniël uitgestoken.

Mattijn!

Het was tien voor negen. De kinderen stonden te wachten in de coulissen.

Voor het podium zat een orkestje. Toen Mattijn en Daniël aan kwamen lopen, doofde het licht in de zaal en de gordijnen gingen wuivend uiteen. Meester Fernhout stond aan de andere kant van het podium half verstopt achter het gordijn en begon te lezen: 'Daar komt de eerste al buitenspelen. Het is Pim. Hij heeft een groot blauw blok in zijn handen en...'

'Achteruit, anders zien ze je,' hoorde Daniël de juf fluisteren, 'tussen de gordijnen gaan staan.'

De juf ging achter Mattijn staan. 'Let op,' zei ze, 'nú.' Ze gaf hem duwtje.

Mattijn deed een paar stappen in de richting van de kinderen op het toneel.

'Maar wie komt daar aan,' las meester Fernhout, 'wat is dat voor raar rood kind?'

Rood is stom, zongen de kinderen op het podium.

Het ging prima. Mattijn speelde fantastisch. De mensen zaten ademloos te kijken toen Mattijn in zijn grijze monsterpak over het podium sloop.

Het toneelstuk eindigde in een feest. De
vruchten, Floris, de rode jongen, zelfs de bomen
en de golven dansten over het toneel en zongen:
Rood hoort erbij, rood hoort erbij.
Daniël werd omhelsd door Truus, door Tim en
door Tanja. Truus hoort erbij, dacht Daniël, Tim
hoort erbij, Tanja hoort erbij. Het gordijn ging
dicht en weer open en weer dicht en weer open.
De mensen in de zaal klapten en klapten. Er leek
geen eind aan te komen. Daniël kon alleen maar
buigen met zijn hoofd, maar hij boog, boog en
boog.
Het applaus op de gracht was mooi geweest, maar
dit applaus was duizendmaal mooier.
'Mensen.' Joris stond bij de microfoon. 'Mensen,'
riep hij.
Zijn moeder stond naast hem met drie bossen
bloemen. Ze boog zich naar de microfoon. 'Dames
en heren... meisjes en jongens... wat een
heerlijke avond hebben wij gehad. Daar hoort...
Mag ik even...' Het werd stil in de zaal. 'Daar
hoort een bloemetje bij: meester Fernhout, juf

Julia, wilt u even naar voren komen?'
De meester en de juf kwamen aanlopen, de
meester kalm, de juf met rode wangen. Ze bogen.
De mensen in de zaal en de kinderen op het
podium klapten in hun handen en stampten met
hun voeten op de grond.
'Namens onze kinderen hartelijk bedankt,' riep de
moeder van Joris in de microfoon. Ze gaf meester
Fernhout een zoen en een bos bloemen. Joris gaf
een bos bloemen aan de juf.
'Zoenen, zoenen,' riepen de kinderen op het
podium. De juf boog zich naar voren en gaf Joris
voorzichtig een zoentje. Joris werd een beetje
rood.
'Dames en heren, meisjes en jongens, ik heb nóg
een bos bloemen. Die wilde ik geven aan een
jongen waar ik als moeder erg trots op ben...
deze bloemen zijn voor onze eigen Joris.' Ze gaf
Joris drie zoenen en de bos bloemen.
Joris kreeg een hoofd als een tomaat. Er werd
flauwtjes geklapt en hier en daar gelachen.
Iedereen keek naar Joris.

'Ik, ik, ik...' zei Joris. Hij trok een bloem uit de bos en liep naar Mattijn. 'Hier,' zei hij. Toen gaf hij een bloem aan Bertus, aan Tanja, aan Tim, aan Daniël. Hij deelde al zijn bloemen uit. En bij elke bloem die hij weggaf, begonnen de mensen harder te klappen.

In de kleedkamers was het stampvol met vaders en moeders.
'We gaan nog even wat drinken,' zei mama.
Zo'n beetje alle tafeltjes in de foyer waren bezet.
Toen ze zaten, kwam Mattijn eraan met zijn moeder. Mattijn glom.
'Danel,' zei hij en hij wees op Daniël.
De moeder van Mattijn gaf mama een hand en kwam bij hen aan het tafeltje zitten.
Ze straalde. 'Wat zijn we trots op onze kinderen,' zei ze.
Mama knikte en lachte.
Frits was drinken gaan halen bij het buffet. Het was zo druk dat het wel een kwartier duurde voordat hij met de koffie en limonade aankwam.

Achter Daniël stond een meneer met een
microfoon in zijn hand en een koptelefoon op
zijn hoofd. 'We staan hier in de foyer van de
stadsgehoorzaal. Wij zijn van radio IJsselmond en
hebben samen met honderden mensen zojuist een
prachtig toneelstuk gezien. Een van de
hoofdrolspelers heb ik hier bij me.' De meneer
hield de microfoon voor Mattijn en vroeg: 'Hoe
heet je?'
'M-tijn,' zei Mattijn.
'Metijn, je hebt werkelijk buitengewoon mooi
gespeeld. Vond je het niet moeilijk met al die
mensen in de zaal?'
Mattijn schudde zijn hoofd en lachte.
'Metijn vond het dus niet moeilijk om vanavond
hier een eng monster te spelen. Hoe vond je het
om op zo'n groot podium te staan?' De meneer
hield de microfoon weer voor Mattijn.
'Mooi,' lachte Mattijn.
'Enne, de andere kinderen, hoe vond je die
spelen?'
'Mooi, heel mooi,' zei Mattijn.

De meneer zakte door de knieën en keek naar
Daniël. 'Heb jij ook meegespeeld?' De meneer
hield de microfoon voor de mond van Daniël.
'Ja,' zei Daniël, 'ik was potlood.'
'Paas potlood,' zei Mattijn. Hij boog zich naar
Daniël en sloeg een arm om hem heen. 'Mij mooi
paas potlood. Mooi hè.'
Daniël knikte. Mooi was het zeker.
Hij stond op, ging op zijn tenen staan en sloeg
een arm om Mattijn.
Op dat moment werd er een foto gemaakt.

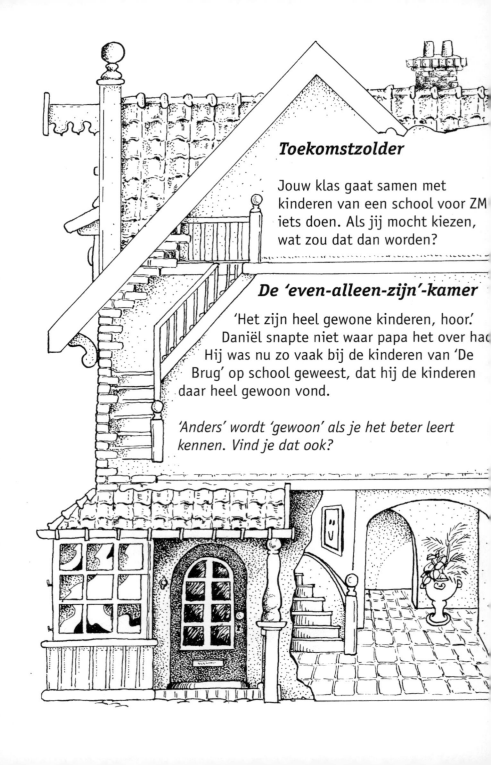

Toekomstzolder

Jouw klas gaat samen met
kinderen van een school voor ZM
iets doen. Als jij mocht kiezen,
wat zou dat dan worden?

De 'even-alleen-zijn'-kamer

'Het zijn heel gewone kinderen, hoor.'
Daniël snapte niet waar papa het over had
Hij was nu zo vaak bij de kinderen van 'De
Brug' op school geweest, dat hij de kinderen
daar heel gewoon vond.

*'Anders' wordt 'gewoon' als je het beter leert
kennen. Vind je dat ook?*

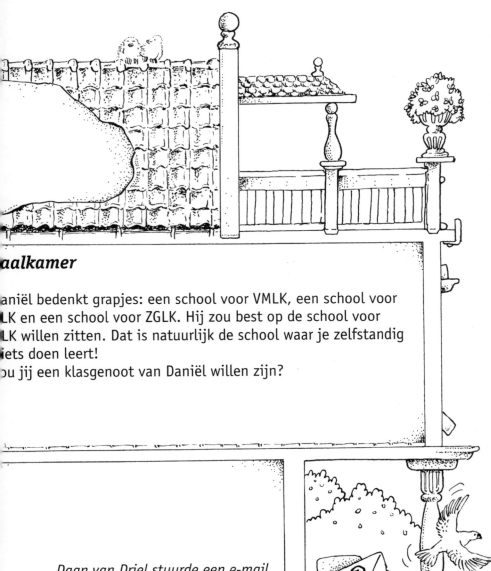

aalkamer

aniël bedenkt grapjes: een school voor VMLK, een school voor
LK en een school voor ZGLK. Hij zou best op de school voor
LK willen zitten. Dat is natuurlijk de school waar je zelfstandig
iets doen leert!
ou jij een klasgenoot van Daniël willen zijn?

Daan van Driel stuurde een e-mail
aan alle lezers.
Lees maar op de volgende bladzijde.

Van: kamp-n@hetnet.nl (of mail Daan van Driel
via: villa@maretak.nl)
Aan: <alle lezers van 'Monster en potlood'>

Hoi lezer,

Op koninginnedag 1988 schreven de kinderen van Kampen
een boek* voor de koningin. Het mooie verhaal waarmee
dat boek begint, is van Peter van *De Schakel*.** Hij begon
zo: Als de koningin bij mij op bezoek komt dan mag ze
zitten in een hele luxe stoel. Ik zou zeggen: 'Ga maar
lekker zitten.'
Toen we stonden te wachten op de komst van de koningin
om haar het boek te overhandigen, vroeg ik aan Peter: 'En
wat zou je doen als ik bij je op bezoek kom met mijn klas?'
'Dan mogen jullie in diezelfde stoel zitten,' zei hij.
Een paar weken later gingen we echt op bezoek bij *De
Schakel*. We werden hartelijk ontvangen en vanaf die tijd
kwamen we regelmatig bij elkaar over de vloer. We gingen
samen dingen doen: we bouwden in het klein onze stad na,
gingen met elkaar op reis, schreven verhalen, schilderden
en speelden toneelstukken. Net als in dit boek. Eén van die
toneelstukken heette: 'Het kleurenmonster'.
We ontdekten dat je heel goed dingen samen kunt doen en
vrienden kunt zijn, hoe verschillend je ook bent.
Net zoals Daniël dat ontdekte in dit boek.

Daan van Driel

* De titel van dat boek is: *Hoog Bezoek.*
** *De Schakel* is een school voor ZML in Kampen.

VillA-vragen

♠ Vragen na hoofdstuk 2, bladzijde 22
1 Heb je Daniël een beetje leren kennen?
   Je weet hoe hij reageert op de boekbeurt van Joris.
   Je weet hoe hij over school denkt, lees bladzijde 13 er
   nog maar eens op na.
   (Wat vind je trouwens van zin hebben in zelfstandig
   spelen of in zelfstandig niets doen?)
2 Lijk je op Daniël, of ben jij heel anders?
3 Wat gaat de klas van juf Julia op 'De Brug' doen, denk
   je?

♠ Vragen na bladzijde 50 onderaan
1 Probeer je eens in te denken hoe Daniël zich nu voelt.
2 Mattijn krijgt de dubbelrol: de rode jongen én het
   grijze monster. Kan Daniël blij voor hem zijn?
3 Speel jijzelf graag mee in een toneelstuk? Wil je dan,
   net als Daniël, ook de hoofdrol?

♠ Vragen na hoofdstuk 7, bladzijde 75
1 Daniël schaamt zich een beetje om met Mattijn over
   straat te gaan. Hoe zou jij dat vinden?
2 Daniël heeft eigenlijk een heel gemeen plannetje
   bedacht. Wat vond je daarvan toen je het las? En nu:
   nét goed dat hij zelf gevallen is?
3 Wat denk je, worden Mattijn en Daniël toch vrienden?

103

VillA Alfabet